꽃잎 같은 아이의 입에서 노랫소리가 흘러 나오면
온 세상이 사랑으로 가득해요.

동요
그림책

애플비

차례

봄 여름 가을 겨울

사이좋게 하하하

우리 집에 놀러 와

봄 여름 가을

솔솔 부는 봄바람을, 시원한 여름 냇가를,
곡식이 여무는 가을 들판을, 펑펑 내리는 겨울

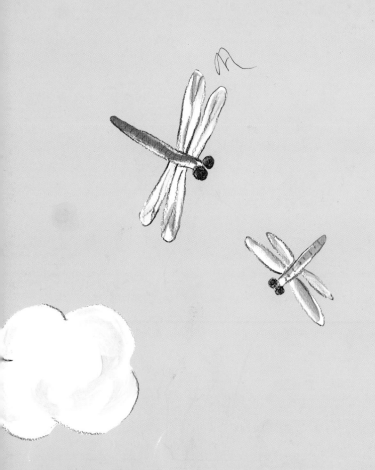

를 뿌리고 꼭 꼭 물을 주었죠

밤 이틀밤 쉿 쉿 쉿

드득 뽀드득 뽀드득 싹이 났어요

싹 싹 싹이 났어요 또 또 물을 주었죠

하룻밤 이틀밤 어 어 어

뽀로롱 뽀로롱 뽀로롱 꽃이 폈어요

씨 씨 씨를 뿌리 고   꼭 꼭 물을 주었 죠

하룻밤 이틀밤   쉿 쉿 쉿   뽀드득 뽀드득

뽀드득 -   싹 이 났 어 요

그림 심미아

숲 속의 합창

산새들이 말하기를 봄이 왔대요

새싹들이 말하기를 봄이 왔대요

시냇물이 말하기를 봄이 왔대요

짹짹짹짹짹짹 뽀드득뽀드득뽀드득 졸졸졸졸졸졸졸

벌들이 말하기를 봄이 왔대요

별들이 말하기를 봄이 왔대요

꽃들이 말하기를 봄이 왔대요

윙윙윙 반짝반짝반짝 빨강파랑노랑

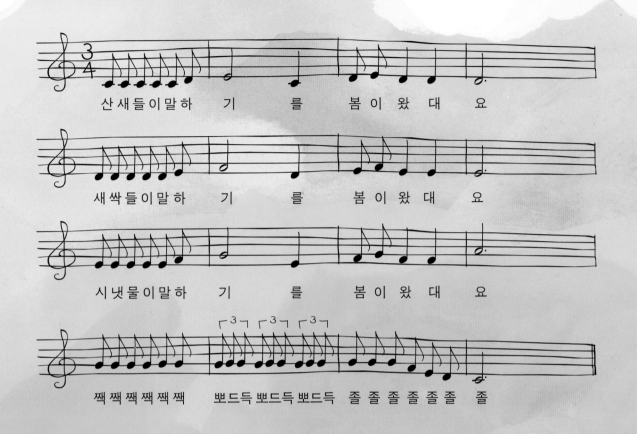

산새들이 말하 기 를 봄이 왔대 요

새싹들이 말하 기 를 봄이 왔대 요

시냇물이 말하 기 를 봄이 왔대 요

짹 짹 짹 짹 짹 짹 뽀드득 뽀드득 뽀드득 졸 졸 졸 졸 졸 졸 졸

그림 김정아

11

여름 냇가

시냇물은 졸졸졸졸 고기들은 왔다갔다
버들가진 한들한들 꾀꼬리는 꾀꼴꾀꼴

황금옷을 곱게 입고 여름 아씨 마중 왔나
노랑 치마 단장하고 시냇가에 빨래 왔지

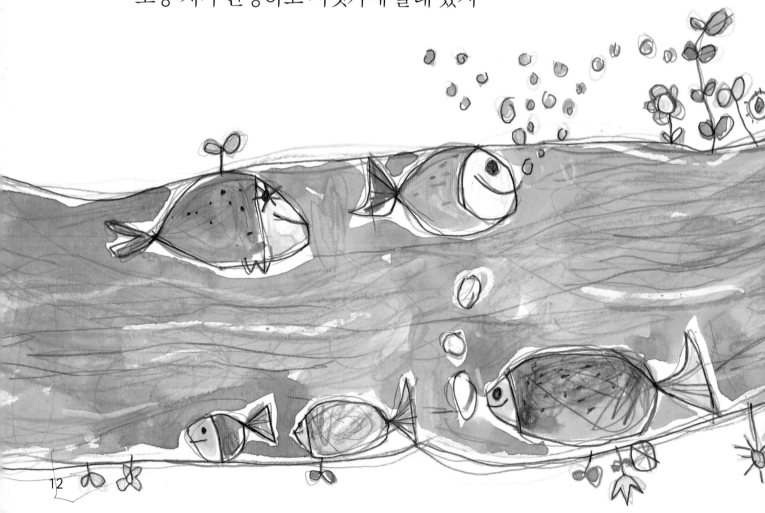

시 냇 - 물은 졸졸졸 - 졸   고 기 들은 왔 다 갔 다

버 들 - 가 진 한 들 한 - 들   꾀 꼬 리 는 꾀 꼴 꾀 꼴

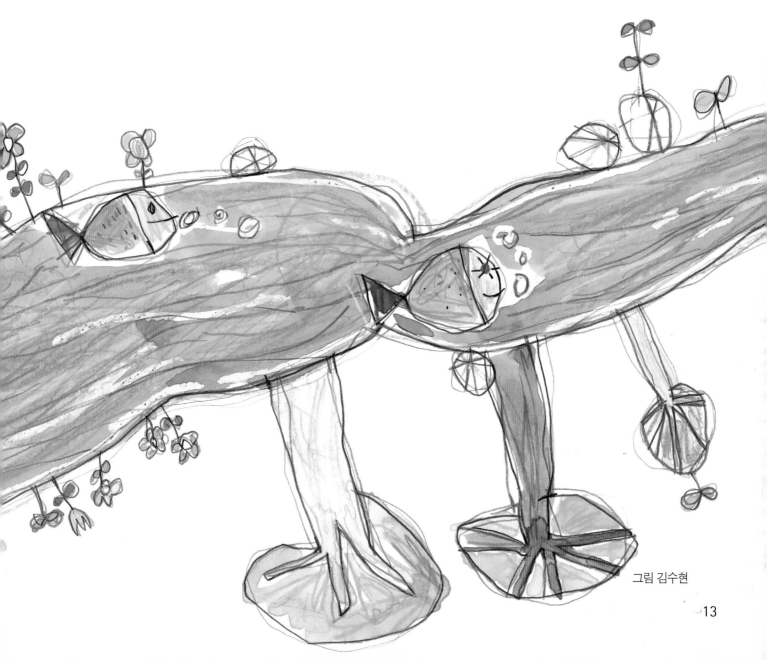

그림 김수현

13

고기잡이

고기를 잡으러 바다로 갈까나
고기를 잡으러 강으로 갈까나
이 병에 가득히 넣어 가지고서
라라라라 라라라라 온다나

선생님 모시고 가고 싶지만은
하는 수 있나요 우리만 가야지
하는 수 있나요 우리만 가야지
라라라라 라라라라 간다나

솨솨솨 쉬쉬쉬 고기를 몰아서
어여쁜 이 병에 가득히 차면은
선생님한테로 가지고 온다나
라라라라 라라라라 굿바이

고기를 잡으러 바다로갈 까 나

고기를 잡으러 강으로갈 까 나

이병에 가득히 넣어가지고 서

라 라 라 라 라 라 라 라 온 다 나

그림 김한나

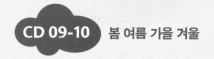

도토리

떼굴떼굴 떼굴떼굴 도토리가 어디서 왔나
단풍잎 곱게 물든 산골짝에서 왔지

떼굴떼굴 떼굴떼굴 도토리가 어디서 왔나
깊은 산골 종소리 듣고 있다가 왔지

떼굴떼굴 떼굴떼굴 도토리가 어디서 왔나
다람쥐 한눈 팔 때 졸고 있다가 왔지

떼굴떼굴 떼굴떼굴 도토리가 어－디서 왔나

단풍잎 곱게 물든 산골짝에서 왔지

그림 박수지

17

허수아비 아저씨

하루 종일 우뚝 서 있는 성난 허수아비 아저씨
짹짹짹짹짹 아이 무서워 새들이 달아납니다
하루 종일 우뚝 서 있는 성난 허수아비 아저씨

하루 종일 참고 서 있는 착한 허수아비 아저씨
하하하하하 조심하세요 모자가 벗겨지겠네
하루 종일 참고 서 있는 착한 허수아비 아저씨

하루종일우뚝 서있는 성 난 허수아비 아 저 씨

짹 짹 짹 짹 짹 아 이 무 서 워 새 들 이 달 아 납 니 다

하 루 종 일 우 뚝 서 있 는 성 난 허 수 아 비 아 저 씨

그림 김정아

하얀 나라

나는 눈이 좋아서 꿈에 눈이 오나 봐

온 세상이 모두 하얀 나라였지 어젯밤 꿈 속에

썰매를 탔죠 눈싸움 했죠

커다란 눈사람도 만들었죠

나는 눈이 좋아서 꿈에 눈이 오나 봐

온 세상이 모두 하얀 나라였지 어젯밤 꿈 속에

20

나는눈이 좋아 서　　　　꿈에눈이 오나　봐

온세상이 모 두　하얀나라였 지　어젯밤꿈 속　에 Fine

썰매를탔 죠　　　눈싸움했죠　　커 다 란 눈사람도 만들 었 죠 D.C

그림 심미아

21

겨울 바람

손이 시려워(꽁) 발이 시려워(꽁) 겨울 바람 때문에(꽁꽁꽁)

손이 꽁꽁꽁(꽁) 발이 꽁꽁꽁(꽁) 겨울 바람 때문에

어디서 이 바람은 시작됐는지

산 너머인지 바다 건넌지 너무 너무 얄미워

손이 시려워(꽁) 발이 시려워(꽁) 겨울 바람 때문에(꽁꽁꽁)

손이 꽁꽁꽁(꽁) 발이 꽁꽁꽁(꽁) 겨울 바람 때문에

손이 시려워 (꽁) 발이 시려워 (꽁) 겨울바람 때문에 - (꽁꽁꽁)

손이 꽁꽁꽁 (꽁) 발이 꽁꽁꽁 (꽁) 겨 울 바람 때-문에 -

어 디 서 이 바람은 시 작 됐 는 지

산 너 머 인 지 바다 건넌 지 너무 너무 얄미 워

그림 김한나

그림 김수현

27

뱅글뱅글 돌아서

올 - 라간 머리　내 - 려온 머리　뱅글뱅글 돌 - 아서　도깨비 머 리

올 - 라간 눈　내 - 려온 눈　뱅글뱅글돌 - 아서　고양 이 눈

따라해 보세요

1절

01 올라간 머리   **02** 내려온 머리   **03** 뱅글뱅글 돌아서   **04** 도깨비 머리

05 올라간 눈   **06** 내려온 눈   **07** 뱅글뱅글 돌아서   **08** 고양이 눈

2절

01 올라간 코   **02** 내려온 코   **03** 뱅글뱅글 돌아서   **04** 돼지 코

05 올라간 입   **06** 내려간 입   **07** 뱅글뱅글 돌아서   **08** 붕어 입

멋쟁이 토마토

울퉁불퉁 멋진 몸매에 빠알간 옷을 입고

새콤달콤 향기 풍기는 멋쟁이 토마토 (토마토)

나는야 주스될 거야 (꿀꺽)

나는야 케첩될 거야 (찌익)

나는야 춤을 출 거야 (헤이)

뽐내는 토마토 (토마토)

그림 박수지

멋쟁이 토마토

울퉁불퉁멋 진몸매 에 빠알간옷을 입 고

새콤달콤향기풍기 는 멋쟁이토 마 토 (토마토)

나 는 야 주스될거야 (꿀꺽) 나 는 야 케찹될거 야 (찌익)

나 는 야 춤을출거야 (헤이) 뽐내는토 마 토 (토마토)

따라해 보세요

01 울퉁불퉁 멋진 몸매에

02 빠알간 옷을 입고

03 새콤달콤 향기 풍기는

04 멋쟁이

05 토마토

06 (토마토)

07 나는야

08 주스될 거야(꿀꺽)

09 케찹될 거야(찌익)

10 춤을 출 거야(헤이)

11 뽐내는

12 토마토

13 (토마토)

아기염소

파란 하늘 파란 하늘 꿈이 드리운 푸른 언덕에

아기염소 여럿이 풀을 뜯고 놀아요 해처럼 밝은 얼굴로

빗방울이 뚝뚝뚝뚝 떨어지는 날에는 잔뜩 찡그린 얼굴로

엄마 찾아 음매 아빠 찾아 음매 울상을 짓다가

해가 반짝 곱게 피어나면 너무나 기다렸나 봐

폴짝폴짝 콩콩콩 흔들흔들 콩콩콩 신나는 아기염소들

그림 김수현

올챙이와 개구리

개울가 - 에   올챙이 한마리   꼬 물 꼬 물   헤 엄 치 다

뒷 다 리 가 쑥   앞 다 리 가 쑥   팔 딱 팔 딱   개 구 리 됐 네

꼬 물 꼬 물   꼬 물 꼬 물   꼬 물 꼬 물   올 챙 이 가

뒷 다 리 가 쑥   앞 다 리 가 쑥   팔 딱 팔 딱   개 구 리 됐 네

따라해 보세요

01 개울가에

02 올챙이 한 마리

03 꼬물꼬물 헤엄치다

04 뒷다리가

05 쑥

06 앞다리가

07 쑥

08 팔딱팔딱 개구리됐네

09 꼬물꼬물 꼬물꼬물 꼬물꼬물

10 올챙이가

11 뒷다리가

12 쑥

13 앞다리가

14 쑥

15 팔딱팔딱 개구리됐네

그대로 멈춰라

즐겁게 춤을 추다가 그대로 멈춰라
즐겁게 춤을 추다가 그대로 멈춰라
눈도 감지 말고 웃지도 말고
울지도 말고 움직이지 마
즐겁게 춤을 추다가 그대로 멈춰라
즐겁게 춤을 추다가 그대로 멈춰라

즐 겁 게　　춤 을 추 다 가　　그 대 로 멈 춰 　라

즐 겁 게　　춤 을 추 다 가　　그 대 로 멈 춰 　라

Fine

눈 도　감 지 말 고　웃 지 도 말 고　울 지 도 말 고　움 직 이 지 마

D.C

그림 김한나

43

통통통통

통통통통 털보 영감님
통통통통 혹부리 영감님
통통통통 코주부 영감님
통통통통 안경 영감님
통통통통 손을 위로
팔랑팔랑 팔랑팔랑 손을 무릎에

도도도도 무릎입니다
레레레레 배꼽입니다
미미미미 가슴입니다
파파파파 어깨랍니다
솔솔솔솔 머리랍니다
팔랑팔랑 팔랑팔랑 손을 무릎에

통통통통

통 통 통 통 털보영감님   통 통 통 통 혹부리영감님

통 통 통 통 코주부영감님   통 통 통 통 안경영감님

통 통 통 통 손을위-로   팔랑 팔랑 팔랑 팔랑 손을무릎에

따라해 보세요

 **01** 통통통통

 **02** 털보 영감님

 **03** 통통통통

 **04** 혹부리 영감님

 **05** 통통통통

 **06** 코주부 영감님

 **07** 통통통통

 **08** 안경 영감님

 **09** 통통통통

 **10** 손을 위로

 **11** 팔랑팔랑 팔랑팔랑

 **12** 손을 무릎에

거미가 줄을 타고 올라갑니다

거미가 줄을 타고 올라갑니다
비가 오면 끊어집니다
해님이 방긋 솟아오르면
거미가 줄을 타고 내려옵니다

그림 박수지

거미가 줄을 타고 올라갑니다

거미가 줄을타고 올라갑니다   비가 - 오면   끊어 집니 다

해 님이 방 긋   솟아 오르면   거미가 줄을타고 내려 옵니다

따라해 보세요

01 거미가 줄을 타고 올라갑니다

02 비가 오면

03 끊어집니다

04 해님이 방긋

05 솟아오르면

06 거미가 줄을 타고 내려옵니다

51

엄마돼지 아기돼지

토실토실 아기돼지 젖 달라고 꿀꿀꿀

엄마돼지 오냐 오냐 알았다고 꿀꿀꿀

꿀꿀 꿀꿀 꿀꿀 꿀꿀

꿀꿀꿀꿀 꿀꿀꿀꿀 꿀꿀꿀꿀꿀

아기돼지 바깥으로 나가자고 꿀꿀꿀

엄마돼지 비가 와서 안 된다고 꿀꿀꿀

토실토실 아기 돼 - 지   젖달라고 꿀 꿀 꿀

엄마돼지 오 냐 오 - 냐   알았다고 꿀 꿀 꿀

꿀 꿀꿀 꿀   꿀 꿀 꿀 꿀   꿀꿀꿀꿀꿀꿀꿀꿀   꿀꿀꿀꿀꿀

아기돼지 바 깥 으 - 로   나가자고 꿀 꿀 꿀

엄마돼지 비 가 와 - 서   안된다고 꿀 꿀 꿀

그림 심미아

작은 동물원

삐악삐악 병아리 음매음매 송아지
따당따당 사냥꾼 뒤뚱뒤뚱 물오리
푸푸 개구리 찌게찌게찌게 가재
푸르르르르르르르 물풀 소라!

그림 김수현

작은 동물원

삐악 삐악 병아리 음매 음매 송아지

따당 따당 사냥꾼뒤뚱 뒤뚱물오 리

푸 푸 개 - 구리 - 찌게찌게 찌게 가 - - 재 -

푸르르르르르 르르 물 풀 소라

따라해 보세요

01 삐악삐악 병아리

02 음매음매 송아지

03 따당따당 사냥꾼

04 뒤뚱뒤뚱 물오리

05 푸푸 개구리

06 찌게찌게찌게 가재

07 푸르르르르르르르

08 물풀

09 소라

닮았대요

엄마하고 손목 잡고 같이 걸으면
사람들이 나를 보고 엄마 닮았대
까만 눈 머루 눈 눈이 닮았대
두 볼의 볼우물도 엄마 닮았대

아빠하고 손목 잡고 같이 걸으면
사람들이 나를 보고 아빠 닮았대
우뚝 솟은 높은 코 코가 닮았대
곱슬곱슬 머리도 아빠 닮았대

엄 마 하 고 손 목 잡 고 같 이 걸 으   면

사 람 들 이 나 를 보 고 엄 마 닮 았   대

까 - 만 눈 머 - 루 눈 눈 이 닮 았   대

두 - 볼 의 볼 우 물 도 엄 마 닮 았   대

그림 심미아

59

곰 세 마리

곰 세 마리가 한 집에 있어

아빠곰 엄마곰 애기곰

아빠곰은 뚱뚱해 엄마곰은 날씬해

애기곰은 너무 귀여워

히쭉히쭉 잘 한다

그림 김정아

곰 세 마리

곰 세 마 리 가 한 집 에 있 어 아 빠 곰 엄 마 곰 애 기 곰

아 빠 곰 은 뚱 뚱 해 엄 마 곰 은 날 씬 해

애 기 곰 은 너 무 귀 여 워 히 쭉 히 쭉 잘 한 다

우리 집에 놀러 와

재미있는 것들이 가득한 우리 집에 놀러 오세요.
무엇을 타고 올까요? 어디를 지나서 올까요?
우리 모두 다 같이 노래로 불러 봐요.

솜사탕

나뭇가지에 실처럼 날아든 솜사탕
하얀 눈처럼 희고도 깨끗한 솜사탕
엄마 손 잡고 나들이 갈 때 먹어 본 솜사탕
훅훅 불면은 구멍이 뚫리는 커다란 솜사탕

그림 박수지

솜사탕

나뭇가지에 실처럼- 날아든솜사 탕

하얀눈처럼 희고도- 깨끗한솜사 탕

엄마손잡고 나들이갈때 먹어본솜사 탕

훅 훅 불면은 구멍이뚫리는 커다란솜사 탕

따라해 보세요

01 나뭇가지에

02 실처럼

03 날아든 솜사탕

04 하얀 눈처럼

05 희고도

06 깨끗한 솜사탕

07 엄마 손 잡고

08 나들이 갈 때

09 먹어 본 솜사탕

10 훅훅 불면은

11 구멍이 뚫리는

12 커다란 솜사탕

우리 집에 왜 왔니

우리 집에 왜 왔니 왜 왔니 왜 왔니

꽃 찾으러 왔단다 왔단다 왔단다

무슨 꽃을 찾으러 왔느냐 왔느냐

예쁜 꽃을 찾으러 왔단다 왔단다

가위 바위 보! 가위 바위 보!

가위 바위 보! 야!

우 리 집 에 왜 왔 니 왜 왔 니 왜 왔 니   꽃 찾 으 러 왔 단 다   왔 단 다 왔 단 다

무 슨 꽃 을 찾 으 러   왔 느 냐 왔 느 냐   예 쁜 꽃 을 찾 으 러   왔 단 다 왔 단 다

가 위 바 위 보!   가 위 바 위 보!   가 위 바 위 보!   야!

그림 김정아

잉잉잉

고추밭에 고추는 뾰족한 고추
빨간 고추 초록 고추 모두 뾰족해
댕글댕글 사과가 놀러 왔다가
아야아야 따가워서 잉잉잉

오이밭에 오이는 날씬한 오이
이리 봐도 저리 봐도 날씬한데
둥글둥글 호박이 놀러 왔다가
나는 언제 예뻐지나 잉잉잉

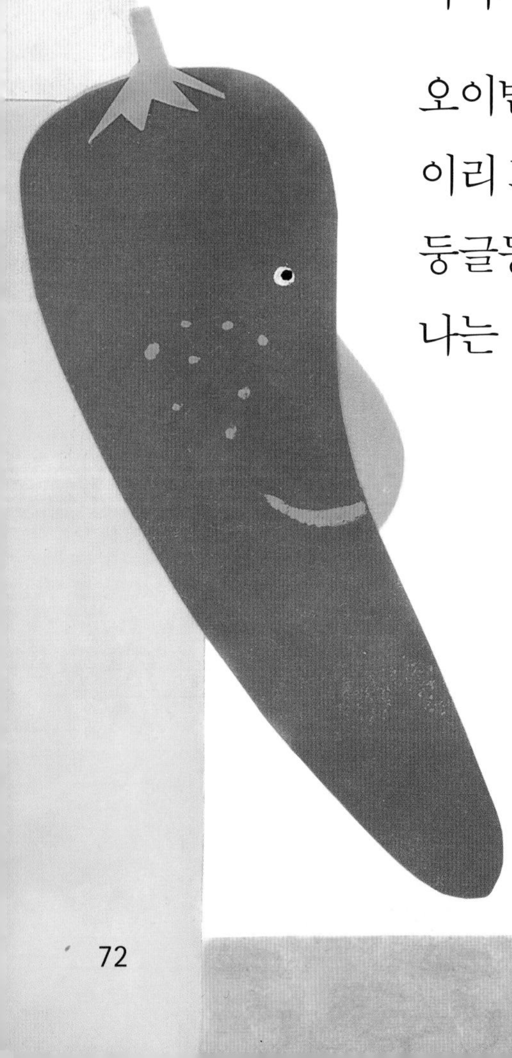

고추밭에 고추는 뾰족한 고추   빨간고추 초록고추 모두 뾰족해

댕글댕글 사과가 놀러 왔다 가   아야아야 따가워서 잉 잉 잉

그림 김한나

73

릿자로 끝나는 말은

리 리 릿자로 끝나는 말은
괴나리 보따리 댑사리 소쿠리 유리 항아리

리 리 릿자로 끝나는 말은
꾀꼬리 목소리 개나리 울타리 오리 한 마리

74

리 리 릿자로 끝나는말은
괴나리 보따리 댑사리 소쿠리 유리항아리

그림 박수지

우리 모두 다 같이

우리 모두 다 같이 손뼉을(짝짝)

우리 모두 다 같이 손뼉을(짝짝)

우리 모두 다 같이 즐거웁게 노래해

우리 모두 다 같이 손뼉을(짝짝)

고개를(끄덕)

발 굴러(쿵쿵)

차례로 (짝짝, 끄덕, 쿵쿵)

우 리 모두다같이 손 뼉 을 (짝 짝) 우리   모두다같이 손 뼉 을 (짝 짝) 우리

모두다같이 즐거 웁게노래해 우리 모두다같이 손 뼉 을 (짝 짝)

그림 김한나

작은 별

반짝반짝 작은 별 아름답게 비치네
동쪽 하늘에서도 서쪽 하늘에서도
반짝반짝 작은 별 아름답게 비치네

정글 숲

정글 숲을 지나서 가자
엉금엉금 기어서 가자
늪 지대가 나타나면은
악어 떼가 나올라 악어 떼!

정 글 숲 을 지 나 서 가 자 엉 금 엉 금 기 어 서 가 자

늪 지 대 가 나 타 나 면 은 악 어 떼 가 나 올 라 악 어 떼!

그림 박수지

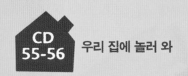

병원차와 소방차

하얀 자동차가 삐뽀삐뽀

내가 먼저 가야 해요 삐뽀삐뽀

아픈 사람 탔으니까 삐뽀삐뽀

병원으로 가야 해요 삐뽀삐뽀삐

빨간 자동차가 애앵애앵

내가 먼저 가야 해요 애앵애앵

불났어요 불났어요 애앵애앵

불을 끄러 가야 해요 애앵애앵앵

82

하얀 자동차가 삐 뽀 삐 뽀 내가먼저 가야해요 삐 뽀 삐 뽀

아픈사람 탔으니까 삐 뽀 삐 뽀 병원으로 가야해요 삐 뽀 삐 뽀 삐

그림 김정아

똑같아요

무엇이 무엇이 똑같은가
젓가락 두 짝이 똑같아요

무엇이 무엇이 똑같은가
윷가락 네 짝이 똑같아요

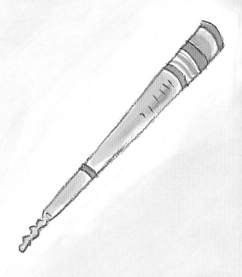

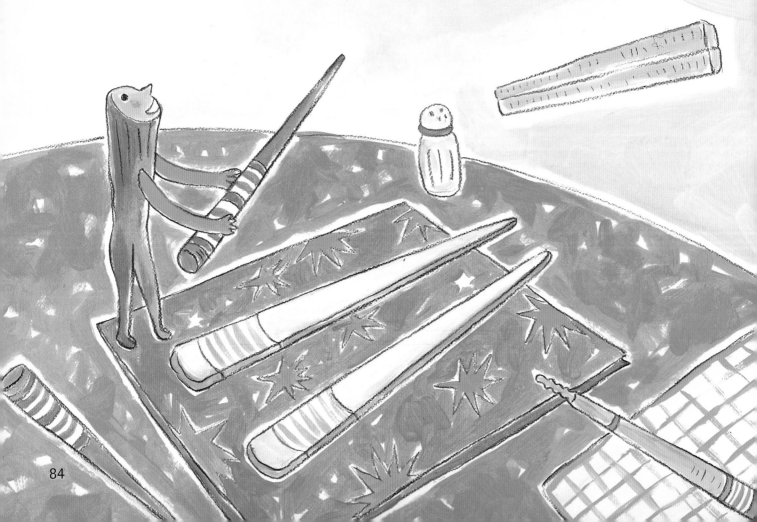

시계

시계는 아침부터 똑딱똑딱
시계는 아침부터 똑딱똑딱
언제나 같은 소리 똑딱똑딱
부지런히 일해요

시계는 밤이 돼도 똑딱똑딱
시계는 밤이 돼도 똑딱똑딱
모두들 잠을 자도 똑딱똑딱
쉬지 않고 가지요

86

시 계 는 아 침 부 터   똑 딱 똑 딱   시 계 는 아 침 부 터   똑 딱 똑 딱

언 제 나 같 은 소 리   똑 딱 똑 딱   부 지 런 히 일 해   요

그림 심미아

87

텔레비전

텔레비전에 내가 나왔으면 정말 좋겠네 정말 좋겠네
텔레비전에 내가 나왔으면 정말 좋겠네 정말 좋겠네
춤추고 노래하는 예쁜 내 얼굴
텔레비전에 내가 나왔으면 정말 좋겠네 정말 좋겠네

텔레비전에 엄마 나왔으면 정말 좋겠네 정말 좋겠네
텔레비전에 엄마 나왔으면 정말 좋겠네 정말 좋겠네
아기가 엄마 하고 부를 테니까
텔레비전에 엄마 나왔으면 정말 좋겠네 정말 좋겠네

그림 심미아

텔레비전

텔 레 비 전 에 　 내 가 나 왔 으 면 　 정 말 좋 겠 네 　－　 정 말 좋 겠 네

텔 레 비 전 에 　 내 가 나 왔 으 면 　 정 말 좋 겠 네 　－　 정 말 좋 겠 네

춤 추 고 　 노 래 하 는 　 예 쁜 내 얼 　 굴

텔 레 비 전 에 　 내 가 나 왔 으 면 　 정 말 좋 겠 네 　－　 정 말 좋 겠 네

따라해 보세요

01 텔레비전에

02 내가 나왔으면

03 정말 좋겠네 정말 좋겠네

04 텔레비전에

05 내가 나왔으면

06 정말 좋겠네 정말 좋겠네

07 춤추고

08 노래하는

09 예쁜 내 얼굴

10 텔레비전에

11 내가 나왔으면

12 정말 좋겠네 정말 좋겠네

숲 속 작은 집

숲 속 작은 집 창가에 작은 아이가 섰는데
토끼 한 마리가 뛰어와 문 두드리며 하는 말
나 좀 살려 주세요 나 좀 살려 주세요
날 살려 주지 않으면 포수가 빵 쏜대요
작은 토끼야 들어와 편히 쉬어라

그림 박수지

숲 속 작은 집

숲 속 작은집 창가에 작은아이가 섰는데

토 끼 한마리가 뛰 어 와 문두드리며 하는 말

나 좀 살려 주세요   나 좀 살려 주세요   날 살려 주지 않으면   포수가 빵 쏜대요

작은 토끼야 들 어 와 편히쉬어 라

따라해 보세요

01 숲 속 작은 집

02 창가에

03 작은 아이가 섰는데

04 토끼 한 마리가 뛰어와

05 문 두드리며 하는 말

06 나 좀 살려 주세요
나 좀 살려 주세요

07 날 살려 주지 않으면
포수가 빵 쏜대요

08 작은 토끼야

09 들어와

10 편히 쉬어라

그림책을 보면서 동요를 불러요.

동요 그림책

초판 13쇄 발행 2008년 11월 25일

그림 김수현 김정아 김한나 박수지 심미아

발행처 (주)애플비 **발행인** 이순영 **편집책임** 김미숙

디자인 SALT&PEPPER **제작책임** 이유근 **제작진행** 고강석

녹음 Soundworks

주소 서울시 서대문구 충정로 2가 7-2

신고번호 제406-2006-00055호 **등록일자** 2006년 9월 1일

편집문의 전화 (02)365-2505 팩스 (02)365-2503

마케팅문의 전화 (02)722-3610 팩스 (02)722-3611

ISBN 89-5791-247-9 74370

ISBN 89-5791-254-1 74370 (세트)

Audio CD Book 시리즈

오디오 CD 포함, 각권 11,000원, 본문 96쪽

동요그림책

아이들이 가장 좋아하는 우리 동요 32곡을 CD에 담았습니다. 노래가 주는 느낌을 고스란히 담아 낸 그림은 아이의 상상력과 창의력을 복돋아 줍니다. 율동을 따라하면서 동요를 즐겁게 불러 보세요.

영어 동요

원어민 가수들이 직접 부른 영어 동요 31곡을 CD에 담았습니다. 영어 동요를 반복하여 듣고 따라 부르면 어느새 쉽고 재미있게 영어와 친해져요. 율동을 따라하면서 즐겁게 불러 보세요.